小木马

马儿不肯走，
骑它它摇头。
越摇越爱骑，
娃娃不松手。

打 电 话

你做妈妈，我做娃娃，

妈妈娃娃，打电话，

喂，喂，妈妈，你早呀！

嗳，嗳，娃娃，你好呀！

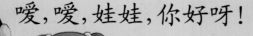

打 小 鼓

咚！咚！咚！

一二三四五，
我会打小鼓，
咚咚咚咚咚，
小鼓说是五。

小燕子

小燕子，真灵巧，
能飞低，能飞高，
尾巴尖尖像剪刀。

小 蜻 蜓

小蜻蜓，有本领，
长着两只大眼睛。
益虫害虫分得清，
消灭害虫忙不停。

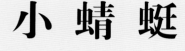

小 蝴 蝶

小蝴蝶，多么美，
张开翅膀飞呀飞。
又传粉，又吃蜜，
忽高忽低做游戏。

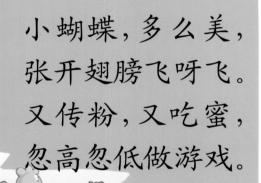

小 鸟

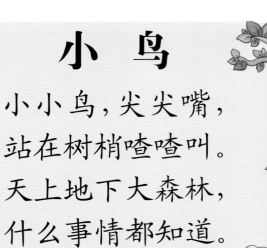

小小鸟，尖尖嘴，
站在树梢喳喳叫。
天上地下大森林，
什么事情都知道。

信 鸽

小小鸽子去送信，
从来不怕风雨淋。
就像和平小天使，
洁白美丽又可亲。

小 蜜 蜂

小蜜蜂，嗡嗡嗡，
天天忙在花丛中。
采甜蜜，传花粉，
纯朴善良爱劳动。

小黄鸭

小黄鸭，叫嘎嘎，
走起路来摇尾巴。
一摇摇到小河里，
高高兴兴洗澡啦。

小 肥 猪

小猪胖嘟嘟，
嘴长腿儿粗。
耳朵像扇子，
唱歌呼噜噜。

小花猫

小老鼠，胆子大，
见了花猫它不怕。
小花猫，爪子利，
抓得老鼠哇哇哇。

小白兔

小白兔,白又白,
两只耳朵竖起来。
爱吃萝卜和青菜,
蹦蹦跳跳真可爱。

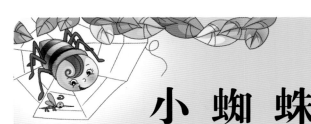

小 蜘 蛛

小蜘蛛，能吃苦，
网子破了自己补。
补得快来补得好，
苍蝇蚊子跑不掉。

小羊羔

小羊羔，乖娃娃，
给它草儿不独霸。
一会儿喊："妹-妹！"
一会儿喊："妈-妈！"

小 金 鱼

摇摇头，摆摆尾，
一串水泡吐出嘴。
水泡水泡水上游，
那是金鱼的小皮球。

笋芽芽

笋芽芽，力气大，
顶破土石块，
继续向上爬。

金丝猴

金丝猴，金丝长，
金丝闪闪放金光。
金衣穿上好漂亮。

石榴妈妈

石榴妈妈宝宝多，
一个一个满屋坐，
哎呀，小屋被挤破。

大苹果

我是一个大苹果，
小朋友们都爱我。
请你先去洗洗手，
要是手脏别碰我。

大 茄 子

大茄子,圆又长,
身上穿着紫衣裳。
大茄子,有营养,
娃娃吃,身体壮。

水晶梨

水晶梨，甜蜜蜜，
味道脆来又多汁。
白的肉，黄的皮，
宝宝吃了笑眯眯。

草 莓

小草莓，红衣褂，
身上长满黑芝麻。
咬上一口甜蜜蜜，
吃得大家笑哈哈。

西 瓜

西瓜小姑娘，
身穿花衣裳，
露出大肚囊，
里面是红瓤。

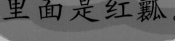

葡萄

紫葡萄，一串串，
亮晶晶，溜溜圆。
小朋友，尝一颗，
一直甜到我心间。

大菠萝

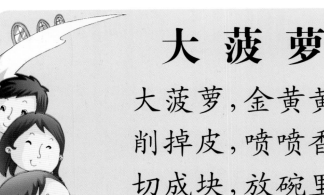

大菠萝，金黄黄，
削掉皮，喷喷香。
切成块，放碗里，
爸爸妈妈快来尝。

玉 米

玉米公公年老了，
长长胡子胸前飘。
香蕉娃娃懂礼貌，
上前弯腰问声好。

积木

积木多漂亮，
有红又有黄。
宝宝搭积木，
盖座大楼房。

讲 礼 貌

小宝宝，讲礼貌，
来到幼儿园，
先说"老师好"。

幼儿园

洗　脸

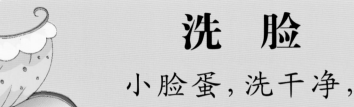

小脸蛋，洗干净，
不长疙瘩不长癣。
洗出漂亮小脸蛋，
给你穿上红绸衫。

小 水 壶

小水壶，吹口哨，
水一开，呜呜叫。
客人来了它知道，
咕噜咕噜冒水泡。

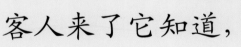

穿衣歌

小胳膊,穿袖子,
穿上衣,扣扣子。
小脚丫,穿裤子,
穿上袜子穿鞋子。

太 阳

太阳圆，太阳亮，
太阳下面暖洋洋。
太阳晒晒苗儿壮，
太阳晒晒我健康。

吹泡泡

吹泡泡，吹泡泡，
泡泡像串紫葡萄。
一颗两颗六七颗，
我的泡泡大又大，
呼噜噜，满天飘。

流　星

流星，流星，
你慢点儿跑！
小心，小心，
别把星星撞倒！

菠　菜

小菠菜，叶儿长，
红红根儿俊模样。
小菠菜，营养多，
宝宝吃了长得壮。

星 星

星星是盏小路灯，
我一走路它就跟。
当我回到家里面，
它又转身照别人。

彩 虹

雨过天晴空气好，
蓝天架起彩虹桥。
赤橙黄绿青蓝紫，
娃娃见了拍手笑

月亮弯弯

月亮弯弯弯上天，
牛角弯弯弯两边。
镰刀弯弯好割草，
犁头弯弯好种田

荡秋千

秋千秋千高高，
荡呀荡过树梢。
树梢点头微笑，
夸我是勇敢的宝宝。

捉迷藏

太阳底下捉迷藏，
躲的躲，藏的藏。
眼睛包好不许看，
那才算你本领强。

跳 绳

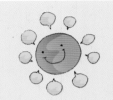

花花绳子一条条，
大家比赛把绳跳。
单脚、双脚，翻花、双摇，
花样多来姿势巧，
从小锻炼身体好。

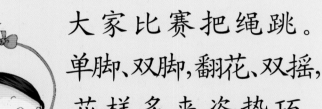

做早操

小朋友，做早操，
伸伸臂，弯弯腰，
踢踢腿，蹦蹦跳，
认真锻炼身体好。

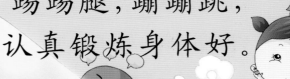

吃饭好习惯

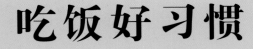

牛奶鸡蛋味道好，
青菜瘦肉营养高，
白米饭，颗颗饱，
按时进餐身体好。

爱劳动

小抹布，四方方，
擦桌椅，不怕脏。
桌椅擦得真干净，
从小劳动本领强。

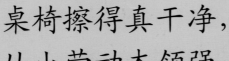

走路挺起胸

坐如钟，站如松，
走路就像一阵风。
抬头挺胸身端正，
就像一个小小兵。

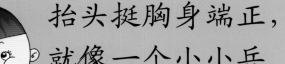

洗 手

自来水，清又清，
洗洗小手讲卫生。
伸出手儿比一比，
看谁洗得最干净。

我爱看书

娃娃书，真精彩，
宝宝从小就喜爱。
学知识，长本领，
越看越学越聪明。

洗 手

自来水，清又清，
洗洗小手讲卫生。
伸出手儿比一比，
看谁洗得最干净。

我爱看书

娃娃书，真精彩，
宝宝从小就喜爱。
学知识，长本领，
越看越学越聪明。

送玩具回家

搭积木，抱娃娃，
小鸭子，向前拉。
玩具累了想妈妈，
我送玩具回家吧。

红 绿 灯

大马路，真宽阔，
看见红灯停一停。
看见绿灯向前行，
我是懂事的小朋友。